STELLA

princesse de la nuit

MARIE-LOUISE GAY

Dominique et compagnie

Catalogage avant publication
de la Bibliothèque nationale du Canada
Gay, Marie-Louise

(Stella, Princess of the Sky. Français)
Stella, princesse de la nuit
Traduction de : Stella, Princess of the Sky.
Pour enfants.

ISBN 2-89512-398-5

I. Titre. II. Titre : Stella, Princess of the Sky. Français.

PS8563.A868S72914 2004   jC813'.54   C2004-940061-4
PS9563.A868S72914 2004

Stella, Princess of the Sky
© 2004 Marie-Louise Gay
Publié par Groundwood Books/Douglas & McIntyre

Version française pour le Canada
© Les éditions Héritage inc. 2004
Tous droits réservés

Texte français : Marie-Louise Gay
Directrice de collection : Lucie Papineau

Dépôt légal : 3e trimestre 2004
Bibliothèque nationale du Québec
Bibliothèque nationale du Canada

Dominique et compagnie
300, rue Arran, Saint-Lambert (Québec) J4R 1K5
Téléphone : (514) 875-0327
Télécopieur : (450) 672-5448
Courriel : dominiqueetcie@editionsheritage.com
Site Internet : www.dominiqueetcompagnie.com

Imprimé en Chine
10 9 8 7 6 5 4 3 2

Nous remercions le Conseil des Arts du Canada de l'aide
accordée à notre programme de publication.

Nous reconnaissons l'aide financière du gouvernement
du Canada par l'entremise du Programme d'aide
au développement de l'industrie de l'édition (PADIÉ) pour
nos activités d'édition.

Nous reconnaissons l'aide financière du gouvernement
du Québec par l'entremise du Programme de crédit d'impôt
pour l'édition de livres – SODEC – et du Programme d'aide
aux entreprises du livre et de l'édition spécialisée.

Pour Alain l'oursin

–Stella ! crie Sacha. Stella ! As-tu vu ?
Le ciel est en feu !

–Mais non, Sacha, dit Stella. C'est le soleil qui se couche.
–Pourquoi est-il si rouge ? demande Sacha.
–Parce qu'il porte un pyjama rouge ce soir.

–Le soleil porte un pyjama ? Comme moi ?
–Oui, répond Stella. Et lorsque la lune se lève, elle
l'emmitoufle dans une grande couverture étoilée.

–Où dort le soleil? demande Sacha. Dans un lit?
–Il dort sur un gros nuage moelleux, répond Stella.
Chaque matin, au chant du coq, le soleil bondit dans le ciel…

… comme ça!

–Sauf quand il pleut, ajoute Sacha.

–Oui, dit Stella. Quand il pleut, le soleil fait la grasse matinée.

–J'ai une idée ! Dormons à la belle étoile, propose Stella.
–Ne fera-t-il pas trop froid ? demande Sacha. Ou trop noir ?
–Allons chercher des couvertures et une lampe de poche, dit Stella.

– Est-ce qu'il y aura des papillons de nuit géants ? chuchote Sacha.
Ou des vers luisants ?
– Tu viens, Sacha ?

–Écoute ! crie Sacha. C'est le loup !
–Les loups ne coassent pas, Sacha. C'est un crapaud.
–Un crapaud est-il aussi gros qu'un loup ?

–Mais non, regarde! Tu peux le mettre dans ta poche.
–Ma poche est pleine de biscuits, dit Sacha.
–Les crapauds adorent les biscuits, dit Stella.

–Ici c'est parfait ! Nous allons voir la lune se lever sur le lac.
–La lune vit sous l'eau ? demande Sacha. Elle sait nager ?
–La lune vit dans le ciel, dit Stella. Avec les étoiles.

– Alors, la lune vole, dit Sacha. Est-ce qu'elle a des ailes ?
– Non. Elle flotte dans le ciel comme un ballon.
– Et qui tient la ficelle ? demande Sacha.

–Hou ! Hou ! Hou !
–Un fantôme ! s'exclame Sacha. L'entends-tu ?
–C'est un hibou, dit Stella.

– Est-ce qu'il essaie de nous effrayer ? demande Sacha.
– Il veut peut-être savoir qui nous sommes.
– Moi, je suis Sacha, dit Sacha. Et elle, c'est Stella.

–Ces chauves-souris volent plus vite que le vent ! dit Stella.
–Vont-elles se prendre dans nos cheveux ? demande Sacha.
–Non, les chauves-souris sont très peureuses.

–Moi, je n'ai pas peur des chauves-souris, dit Sacha. Pas du tout.

–Vas-tu en attraper une avec ton filet à papillons ? demande Stella.

–Non, dit Sacha, je vais attraper des étoiles filantes.

–As-tu une échelle ? demande Stella.
Ou vas-tu sauter comme un kangourou ?

–Mais non, dit Sacha. Il y a plein d'étoiles dans le champ.
–Des lucioles! dit Stella. Ce sont des insectes qui illuminent la nuit.

– Est-ce qu'elles ont des petites lampes de poche ? demande Sacha.
– Très petites, répond Stella. Regarde, j'en ai attrapé une…

… Tu veux la prendre ?
—Je préfère la voir voler, dit Sacha.

– Qui a éteint la lune ? crie Sacha. Je ne vois rien.
– C'est un nuage qui embrasse la lune, chuchote Stella.
Oh ! Une famille de ratons laveurs !

–Pourquoi portent-ils des masques ? Ce sont des voleurs ?

–Ils se rendent à un bal costumé, répond Stella. On y va ?

–J'aimerais y aller, dit Sacha, mais j'ai oublié mon masque.

–Il y a au moins un million d'étoiles ! s'écrie Stella.
Voilà la Grande Ourse… et ça, c'est la Voie lactée…
On dirait une robe de princesse !

–Moi, je pense que la lune a renversé un verre de lait, dit Sacha.
Un verre de lait géant.

– Voilà l'étoile Polaire… Elle nous dit où se trouve le pôle Nord.
– Alors, si un ours polaire se perd, il peut retrouver son chemin ?
– Bien sûr, dit Stella. Il n'a qu'à suivre cette étoile.

– Mais moi, dit Sacha, qu'est-ce que je fais si je me perds ?
– Tu me suis, dit Stella, jusqu'au bout du monde.
– C'est loin, le bout du monde ? demande Sacha.

– Tu connais tant de choses sur les étoiles, Stella !
– C'est grand-maman qui m'a tout appris.
Chaque fois que je regarde les étoiles, je pense à elle.

–Moi, dit Sacha, je pense toujours à elle
quand je sens le parfum des fleurs.

–Je m'ennuie de grand-maman, soupire Sacha.
–Moi aussi, dit Stella. Allons la voir bientôt.
–On y va demain ? demande Sacha.